奇奇變聲秀

作者◎曾╴

繪者◎卡卡Cac╴

主題／改過自新
字數／約3000字
6－8歲適讀
附漢語拼音

特殊的天分是上天贈與的禮物，
tè shū de tiān fēn shì shàng tiān zèng yǔ de lǐ wù

不是人人都有。
bú shì rén rén dōu yǒu

書中的鸚鵡奇奇就非常幸運，
shū zhōng de yīng wǔ qí qí jiù fēi cháng xìng yùn

他天生能模仿各種聲音，
tā tiān shēng néng mó fǎng gè zhǒng shēng yīn

維妙維肖，
wéi miào wéi xiào

可是他用來惡作劇，
kě shì tā yòng lái è zuò jù

非常讓人惋惜。
fēi cháng ràng rén wàn xī

還好他後來明辨是非，
hái hǎo tā hòu lái míng biàn shì fēi

用這天分來保護家園，
yòng zhè tiān fēn lái bǎo hù jiā yuán

得到大家的尊敬，
dé dào dà jiā de zūn jìng

也體會到自己該負起的責任。
yě tǐ huì dào zì jǐ gāi fù qǐ de zé rèn

這個故事是品格教育的最佳範例，
zhè ge gù shì shì pǐn gé jiào yù de zuì jiā fàn lì

同時傳遞環保概念，
tóng shí chuán dì huán bǎo gài niàn

內容豐富，精彩有趣，
nèi róng fēng fù　　jīng cǎi yǒu qù

是本值得推薦的好書。
shì běn zhí dé tuī jiàn de hǎo shū

鸚鵡奇奇悠閒的在森林
裏飛行，瞥見有棵大樹的
果實在陽光下鮮嫩欲滴，
他迫不及待的飛到那棵樹
上，準備大快朵頤。

「閃開！這些果子是
shǎn kāi　　zhè xiē guǒ zǐ shì

我們老大要吃的。」
wǒ men lǎo dà yào chī de

　一陣叫囂聲讓奇奇心
yí zhèn jiào xiāo shēng ràng qí qí xīn

中暗暗叫苦，因為他遇
zhōng àn àn jiào kǔ　　yīn wèi tā yù

到一羣惡霸鸚鵡。
dào yì qún è bà yīng wǔ

之前，好友阿強就是
zhī qián　　hǎo yǒu ā qiáng jiù shì
遇到這羣惡霸，沒讓出
yù dào zhè qún è bà　　méi ràng chū
食物，羽毛被啄得七零
shí wù　　yǔ máo bèi zhuó dé qī líng
八落，遍體鱗傷。
bā luò　　biàn tǐ lín shāng
　奇奇不想吃眼前虧，
　qí qí bù xiǎng chī yǎn qián kuī
立刻走為上策！
lì kè zǒu wéi shàng cè

被迫讓出果實的奇奇，
bèi pò ràng chū guǒ shí de qí qí

愈想愈不甘心，想找同伴
yù xiǎng yù bù gān xīn　xiǎng zhǎo tóng bàn

們合作反擊。
men hé zuò fǎn jí

但大家一聽到他的提議，
dàn dà jiā yì tīng dào tā de tí yì

不是說「森林這麼大，他們
bú shì shuō sēn lín zhè me dà tā men

不可能吃光所有的食物，何
bù kě néng chī guāng suǒ yǒu de shí wù hé

必計較。」
bì jì jiào

就是說「東西
jiù shì shuō dōng xī

沒吃到就算了，
méi chī dào jiù suàn le

命比較重要。」
mìng bǐ jiào zhòng yào

全都避之唯恐不及。
quán dōu bì zhī wéi kǒng bù jí

但奇奇還是
dàn qí qí hái shì
不死心的追
bù sǐ xīn de zhuī
問：「如果我
wèn　　　　rú guǒ wǒ
們一起合作對
men yì qǐ hé zuò duì
抗他們，也許
kàng tā men　　yě xǔ
有機會贏？」
yǒu jī huì yíng

「花力氣打架還
huā lì qì dǎ jià hái
不如花力氣找食
bù rú huā lì qì zhǎo shí
物，反正又不一定
wù fǎn zhèng yòu bù yí dìng
會遇到他們。」
huì yù dào tā men

　這些話讓奇奇啞
zhè xiē huà ràng qí qí yǎ
口無言，只好暫時
kǒu wú yán zhǐ hǎo zhàn shí
打消這個念頭。
dǎ xiāo zhè ge niàn tóu

第二天，奇奇和朋友吃東西
dì èr tiān　 qí qí hé péng yǒu chī dōng xī
時，惡霸鸚鵡又出現了，大家
shí　 è bà yīng wǔ yòu chū xiàn le　 dà jiā
嚇得東逃西竄。
xià dé dōng táo xī cuàn

　　這次奇奇沒有逃走，躲在一
　　zhè cì qí qí méi yǒu táo zǒu　 duǒ zài yì
旁觀察那羣惡霸。
páng guān chá nà qún è bà

「老大！這些東西真好吃！」
lǎo dà zhè xiē dōng xī zhēn hǎo chī

「那些鸚鵡真笨，吼兩句就全
nà xiē yīng wǔ zhēn bèn hǒu liǎng jù jiù quán

嚇跑了！」
xià pǎo le

躲在一旁的奇奇氣得咬牙切
duǒ zài yì páng de qí qí qì dé yǎo yá qiè

齒，卻又無計可施。
chǐ què yòu wú jì kě shī

此時，遠處傳來老鷹的叫聲，
cǐ shí　yuǎn chù chuán lái lǎo yīng de jiào shēng

那羣惡霸嚇得面面相覷，
nà qún è bà xià dé miàn miàn xiāng qù

發現老鷹沒靠近，才鬆了一口氣。
fā xiàn lǎo yīng méi kào jìn　cái sōng le yǐ kǒu qì

奇奇發現原來那羣惡霸
qí qí fā xiàn yuán lái nà qún è bà

也不是無敵的，
yě bú shì wú dí de

忍不住學了老鷹的叫聲，
rěn bú zhù xué le lǎo yīng de jiào shēng

幾隻惡霸聽到了，
jǐ zhǐ è bà tīng dào le

緊張的抬頭東張西望。
jǐn zhāng de tái tóu dōng zhāng xī wàng

奇奇愣了一下，
qí qí lèng le yī xià

再發出更大的聲音，
zài fā chū gèng dà de shēng yīn

這次很多惡霸都聽到了，
zhè cì hěn duō è bà dōu tīng dào le

不等老大發號施令，
bù děng lǎo dà fā hào shī lìng

全都嚇得飛走了。
quán dōu xià dé fēi zǒu le

奇奇飽餐一頓後，
qí qí bǎo cān yì dùn hòu

靠在樹幹旁休息，
kào zài shù gàn páng xiū xí

對自己的模仿天分，
duì zì jǐ de mó fǎng tiān fēn

得意極了。
dé yì jí le

17

回家途中，
huí jiā tú zhōng

看 到 小 猴 子
kàn dào xiǎo hóu zǐ

在 追 逐 玩
zài zhuī zhú wán

耍 ， 猴 子 媽 媽
shuǎ hóu zǐ mā ma

不 在 旁 邊 ， 奇
bú zài páng biān qí

奇 一 時 興 起 ， 模
qí yì shí xìng qǐ mó

仿 猴 子 媽 媽 的 聲
fǎng hóu zǐ mā ma de shēng

音：「媽媽
yīn　　　　mā ma
不在就偷懶
bú zài jiù tōu lǎn
了嗎？」
le ma

　　小猴子聽了，
　　xiǎo hóu zi tīng le
嚇得趕緊在樹枝
xià dé gǎn jǐn zài shù zhī
間攀爬、跳躍。
jiān pān pá　　tiào yuè

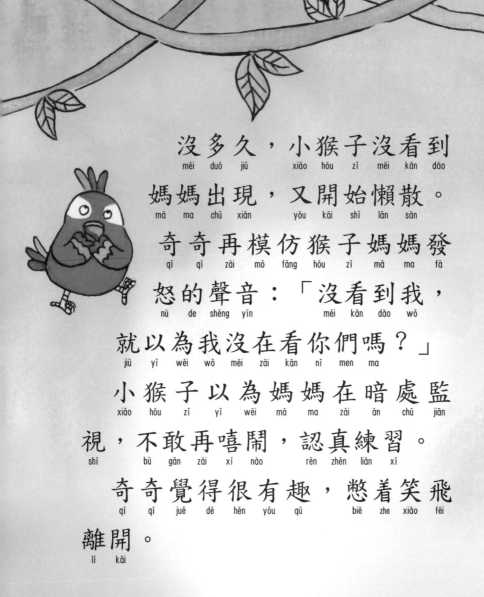

沒多久，小猴子沒看到
méi duō jiǔ xiǎo hóu zǐ méi kàn dào

媽媽出現，又開始懶散。
mā ma chū xiàn yòu kāi shǐ lǎn sàn

奇奇再模仿猴子媽媽發
qí qí zài mó fǎng hóu zǐ mā ma fā

怒的聲音：「沒看到我，
nù de shēng yīn méi kàn dào wǒ

就以為我沒在看你們嗎？」
jiù yǐ wéi wǒ méi zài kàn nǐ men ma

小猴子以為媽媽在暗處監
xiǎo hóu zǐ yǐ wéi mā ma zài àn chù jiān

視，不敢再嘻鬧，認真練習。
shì bù gǎn zài xī nào rèn zhēn liàn xí

奇奇覺得很有趣，憋着笑飛
qí qí jué dé hěn yǒu qù biē zhe xiào fēi

離開。
lí kāi

這天晚上，
zhè tiān wǎn shàng

舉行動物大會時，
jǔ xíng dòng wù dà huì shí

主席山羊爺爺正在
zhǔ xí shān yáng yé ye zhèng zài

宣讀例行事項，
xuān dú lì xíng shì xiàng

枯躁的內容讓大家
kū zào de nèi róng ràng dà jiā

聽得都快打瞌睡。
tīng dé dōu kuài dǎ kē shuì

奇奇看到常放屁的浣熊，
qí qí kàn dào cháng fàng pì de wǎn xióng

嘴角不禁微微上揚。
zuǐ jiǎo bù jìn wéi wéi shàng yáng

24

大家的目光全都集中到
dà jiā de mù guāng quán dōu jí zhōng dào

浣熊身上，浣熊羞紅了臉
wǎn xióng shēn shàng　wǎn xióng xiū hóng le liǎn

說：「不是我！」
shuō　　bú shì wǒ

「噗～」又一個響亮的
pū　　　yòu yí ge xiǎng liàng de

屁聲，讓大家不禁捏着
pì shēng　ràng dà jiā bù jìn niē zhe

鼻子指責浣熊。
bí zi zhǐ zé wǎn xióng

「你怎麼一
直放屁？」
「真的不是
我！」浣熊
急得快哭了。

山羊爺爺深呼吸一口
shān yáng yé ye shēn hū xī yǐ kǒu
氣說：
qì shuō
「好啦！別吵了，這
hǎo lā bié chǎo le zhè
些屁雷聲大，雨點小，
xiē pì léi shēng dà yǔ diǎn xiǎo
沒有臭味，就別
méi yǒu chòu wèi jiù bié
再計較了。」
zài jì jiào le

山羊爺爺誇張的
shān yáng yé ye kuā zhāng de

表情逗得大家哈哈
biǎo qíng dòu dé dà jiā hā hā

大笑，這才化解了
dà xiào zhè cái huà jiě le

浣熊的窘境。
wǎn xióng de jiǒng jìng

又有一次，
yòu yǒu yí cì

奇奇看到棕熊發現
qí qí kàn dào zōng xióng fā xiàn

蜂窩裏的蜂蜜，
fēng wō li de fēng mì

正喜孜孜的想品嘗時，
zhèng xǐ zī zī de xiǎng pǐn cháng shí

又興起了捉弄的念頭。
yòu xìng qǐ le zhuō nòng de niàn tóu

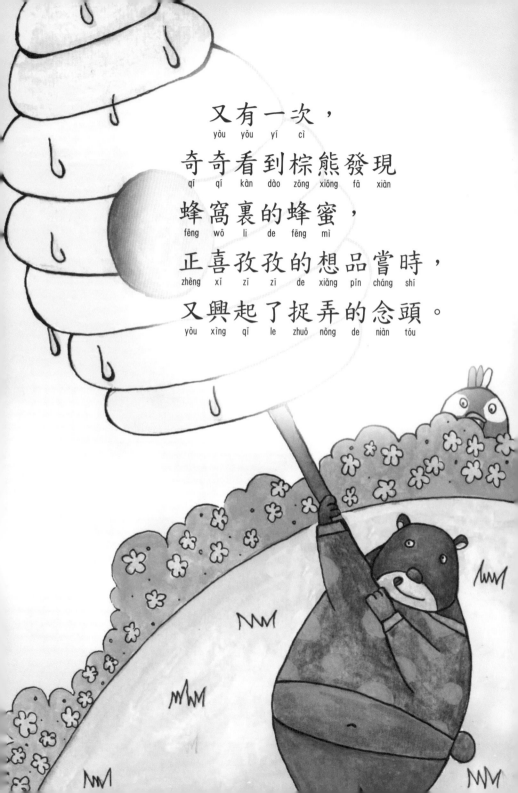

「嗡～嗡～嗡～」
wēng　wēng　wēng

正張大嘴的棕熊
zhèng zhāng dà zuǐ de zōng xióng

聽到這聲音突然警戒
tīng dào zhè shēng yīn tú rán jǐng jiè

的東張西望，
de dōng zhāng xī wàng

慌張的模樣讓奇奇發笑，
huāng zhāng de mó yàng ràng qí qí fā xiào

索性再模仿蜂羣的飛行聲，
suǒ xìng zài mó fǎng fēng qún de fēi xíng shēng

而且音量由小而大，
ér qiě yīn liàng yóu xiǎo ér dà

彷彿蜂羣一步步逼近，
fǎng fú fēng qún yī bù bù bī jìn

嚇得棕熊拔腿狂奔⋯⋯
xià dé zōng xióng bá tuǐ kuáng bēn

從此，奇奇三不五時就出聲模
cóng cǐ qí qí sān bù wǔ shí jiù chū shēng mó
仿，動物被捉弄的事層出不窮，
fǎng dòng wù bèi zhuō nòng de shì céng chū bù qióng
但是又找不到原因，大家開始謠
dàn shì yòu zhǎo bú dào yuán yīn dà jiā kāi shǐ yáo
傳森林裏出現惡作劇的精靈，讓
chuán sēn lín li chū xiàn è zuò jù de jīng líng ràng
生活增加不少困擾。
shēng huó zēng jiā bù shǎo kùn rǎo

「精靈風波」還沒平息，
jīng líng fēng bō　　hái méi píng xí
森林裏又出現更可怕的東西。
sēn lín li yòu chū xiàn gēng kě pà de dōng xī
「救命啊！誰來救我！」
jiù mìng ā　　shéi lái jiù wǒ

奇奇循着呼救聲，看到被困在
qí qí xún zhe hū jiù shēng　kàn dào bèi kùn zài

網子裏的鸚鵡老大，正想開口奚
wǎng zi li de yīng wǔ lǎo dà　zhèng xiǎng kāi kǒu xī

落他時，來了三個人，高興的把
luò tā shí　lái le sān ge rén　gāo xìng de bǎ

網子拿下來說：「這隻鸚鵡真漂
wǎng zi ná xià lái shuō　zhè zhī yīng wǔ zhēn piāo

亮，應該可以賣個好價錢。」
liàng　yīng gāi kě yǐ mài ge hǎo jià qián

急中生智的奇奇立刻學棕熊
jí zhōng shēng zhì de qí qí lì kè xué zōng xióng

的吼聲，把這幾個人嚇跑，接
de hǒu shēng bǎ zhè jǐ ge rén xià pǎo jiē

着找來救兵，大家齊力弄斷網
zhe zhǎo lái jiù bīng dà jiā qí lì nòng duàn wǎng

子，救出鸚鵡老大。
zǐ jiù chū yīng wǔ lǎo dà

鸚鵡老大既慚愧又感動，
yīng wǔ lǎo dà jì cán kuì yòu gǎn dòng

謝謝大家不計前嫌的救他。
xiè xiè dà jiā bú jì qián xián de jiù tā

奇奇不解的問：
qí qí bù jiě de wèn

「森林裏難得看到
sēn lín li nán dé kàn dào

人類的蹤跡，
rén lèi de zōng jī

今天怎麼會一下子
jīn tiān zěn me huì yí xià zǐ
就出現三個人，
jiù chū xiàn sān ge rén
還多了一個可怕
hái duō le yí ge kě pà
的捕鳥網！」
de bǔ niǎo wǎng

37

梅花鹿一跛一跛的走出來說：
「那些人不只設了捕鳥網，在地上也設了很多陷阱。昨天我在森林裏練習跳躍時，覺得有堆落葉看起來怪怪的，好奇的用前腳撥了一下，結果差點掉進坑洞裏，

幸好我反應快，
xìng hǎo wǒ fǎn yīng kuài
只是腳扭傷。」
zhǐ shì jiǎo niǔ shāng

鸚鵡老大接着
說：「前幾天我在
紅檜樹旁，看到有
人搭帳棚放置器
具，感覺好像就是
這幾個人！」

山羊爺爺擔憂的說：「看起來這幾個人應該是人類說的『山老鼠』，他們會盜取珍貴的林木，也會捕捉動物。」

動物們聽了，
dòng wù men tīng le

都憂心忡忡起來。
dōu yōu xīn chōng chōng qǐ lái

鸚鵡老大又說：
yīng wǔ lǎo dà yòu shuō

「可是我也常看到
kě shì wǒ yě cháng kàn dào

穿卡其色衣褲的人類
chuān kǎ qí sè yī kù de rén lèi

在森林裏穿梭，卻不
zài sēn lín li chuān suō　　　què bú

會做傷害我們的事，
huì zuò shāng hài wǒ men de shì

跟那些山老鼠不太一
gēn nà xiē shān lǎo shǔ bú tài yī

樣。」
yàng

「你說的沒錯！上次小寶
nǐ shuō de méi cuò shàng cì xiǎo bǎo
貪玩，被荊棘扎傷了腳，那
tān wán bèi jīng jí zhá shāng le jiǎo nà
個人發現了，幫小寶拔出
ge rén fā xiàn le bāng xiǎo bǎo bá chū
刺，還在傷口上擦了一堆奇
cì hái zài shāng kǒu shàng cā le yì duī qí

怪的東西。」猴子媽媽說。
guài de dōng xī　　　　　　hóu zǐ mā ma shuō

　　小寶迫不及待的接着說：
　　xiǎo bǎo pò bù jí dài de jiē zhe shuō

「是啊！那些東西還讓傷口
shì　ā　　nà xiē dōng xī hái ràng shāng kǒu

好得更快呢！」
hǎo dé gēng kuài ne

「我也看過那
wǒ yě kàn guò nà

種裝扮的人，把
zhǒng zhuāng bàn de rén bǎ

纏繞在大樹上的
chán rào zài dà shù shàng de

藤蔓清除，讓樹
téng màn qīng chú ràng shù

幹不會被勒得喘
gàn bú huì bèi lè dé chuán

不過氣。」小鳥
bú guò qì xiǎo niǎo

也加入討論。
yě jiā rù tǎo lùn

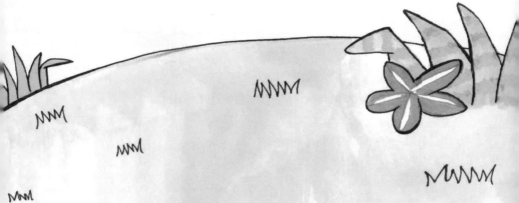

山羊爺爺摸摸
長鬍子，說：
「你們說的應該
是巡山員，他
們常在山林裏巡
視，對動物是很
友善的。」

「既然他們是好人，
jì rán tā men shì hǎo rén

就去找他們幫忙啊！」
jiù qù zhǎo tā men bāng máng ā

動物們一陣歡呼，
dòng wù men yí zhèn huān hū

正開心找到解決的方法。
zhèng kāi xīn zhǎo dào jiě jué de fāng fǎ

一直沉默不
yì zhí chén mò bù
語的蛇開口說：
yǔ de shé kāi kǒu shuō
「那我們要怎麼
nà wǒ men yào zěn me
跟他們說呢？」
gēn tā men shuō ne

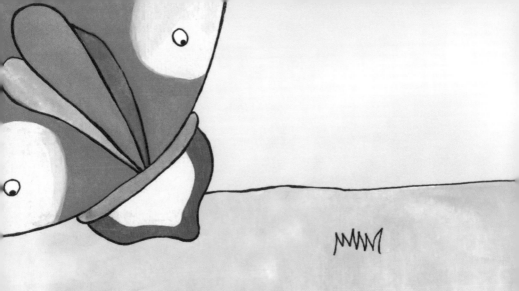

大家聽了，你看我，我
dà jiā tīng le nǐ kàn wǒ wǒ

看你，不知如何是好。
kàn nǐ bù zhī rú hé shì hǎo

奇奇心想自己雖然會模
qí qí xīn xiǎng zì jǐ suī rán huì mó

仿人類的聲音，卻不會
fǎng rén lèi de shēng yīn què bú huì

說人類的語言，無法和巡
shuō rén lèi de yǔ yán wú fǎ hé xún

山員溝通，但看過巡山
shān yuán gōu tōng dàn kàn guò xún shān

員對着一個黑色盒子
yuán duì zhe yí ge hēi sè hé zǐ

說話，他靈光一
shuō huà tā líng guāng yì

閃，想到
shǎn　xiǎng dào
一個辦
yí ge bàn
法。
fǎ

動物們聽完奇奇
dòng wù men tīng wán qí qí
的說明，雖然一頭霧
de shuō míng　suī rán yì tóu wù
水，但是為了守護家
shuǐ　dàn shì wèi le shǒu hù jiā
園，決定放手一搏。
yuán　jué dìng fàng shǒu yì bó

鸚鵡老大和他的手下
自告奮勇要當先鋒部
隊，去找那幾個山老鼠
落腳的地點。

沒多久便傳來找到
méi duō jiǔ biàn chuán lái zhǎo dào
的消息，他們果然心
de xiāo xí　　tā men guǒ rán xīn
懷不軌，想把森林深
huái bù guǐ　xiǎng bǎ sēn lín shēn
處的那幾棵紅檜樹鋸
chù de nà jǐ kē hóng kuài shù jù
下來。
xià lái

動物們氣得想衝過去
dòng wù men qì dé xiǎng chōng guò qù

教訓那幾個山老鼠，
jiào xùn nà jǐ ge shān lǎo shǔ

只聽到鸚鵡老大說：
zhǐ tīng dào yīng wǔ lǎo dà shuō

「可不可以請大家先冷
kě bù kě yǐ qǐng dà jiā xiān lěng

靜，聽我說幾句話。」
jìng   tīng wǒ shuō jǐ jù huà

本來吵雜
bèn lái chǎo zá
的森林頓時
de sēn lín dùn shí
鴉雀無聲，
yā què wú shēng
看着鸚鵡老
kàn zhe yīng wǔ lǎo
大。
dà

他不好意思的笑着說：
tā bù hǎo yì sī de xiào zhe shuō

「因為我們要面對的敵人
yīn wèi wǒ men yào miàn duì de dí rén

手上可能有武器，如果沒
shǒu shàng kě néng yǒu wǔ qì　　rú guǒ méi

有一次擊退他們，可能會
yǒu yí cì jí tuì tā men　　kě néng huì

凶多吉少，甚至有同伴會
xiōng duō jí shǎo　　shén zhì yǒu tóng bàn huì

因此失去生命。」
yīn cǐ shī qù shēng mìng

56

山羊爺爺讚許的點點
shān yáng yé ye zàn xǔ de diǎn diǎn
頭：「說得好，打架也
tóu shuō dé hǎo dǎ jià yě
是要用頭腦的，你有甚
shì yào yòng tóu nǎo de nǐ yǒu shén
麼好的建議嗎？」
me hǎo de jiàn yì ma

57

鸚鵡老大尷尬的笑了
笑，接着說：「我和奇奇
已經把作戰計畫都擬好
了，你們全都靠過來，我
仔細的講給你們聽。」

59

一切準備就緒後，動物
yī qiè zhǔn bèi jiù xù hòu　　dòng wù

們安靜的聚集在山老鼠的
men ān jìng de jù jí zài shān lǎo shǔ de

四周，果然看到他們要開
sì zhōu　　guǒ rán kàn dào tā men yào kāi

始鋸樹了。
shǐ jù shù le

奇奇清清喉
qí qí qīng qīng hóu
嚨，模仿曾聽過
lóng mó fǎng céng tīng guò
巡山員說的「一
xún shān yuán shuō de yī
切ＯＫ」。
qiè

山老鼠聽到人的聲
shān lǎo shǔ tīng dào rén de shēng
音，全都暫停手邊的工
yīn quán dōu zhàn tíng shǒu biān de gōng
作，機警的東張西望。
zuò jī jǐng de dōng zhāng xī wàng

奇奇再說了一次
qí qí zài shuō le yí cì
「一切ＯＫ」，山
yí qiè　　　shān
老鼠們還是四處察
lǎo shǔ men hái shì sì chù chá
看，似乎沒有要離
kàn　 sì hū méi yǒu yào lí
開的意思。
kāi de yì sī

奇奇心想：這句話的威力好像不夠，決定換一句「請求支援」。

這句話一說出來，那幾個人神色變得很不安。

奇奇把音量調高，
再說了一次「請求支
援」，還暗示其他動
物用力撥開枝葉和踩
踏地面，彷彿有人步
步逼近。

那　些　人
nà　xiē　rén

聽　到　聲　音　愈
tīng　dào　shēng　yīn　yù

來　愈　接　近　，　嚇　得
lái　yù　jiē　jìn　　　xià　dé

留　下　工　具　，　迅　速　開　車　逃　離　。
liú　xià　gōng　jù　　　xùn　sù　kāi　chē　táo　lí

看　到　他　們　落　荒　而　逃　，　動　物　們　全
kàn　dào　tā　men　luò　huāng　ér　táo　　　dòng　wù　men　quán

都　拍　手　叫　好　，　對　奇　奇　的　表　現　讚　不
dōu　pāi　shǒu　jiào　hǎo　　　duì　qí　qí　de　biǎo　xiàn　zàn　bù

絕　口　。
jué　kǒu

山羊爺爺開心的對奇奇說：「奇奇！太棒了！你甚麼時候有這麼屬害的功夫，我們都不知道。」受到大家讚美的奇奇，害羞的搔搔頭。

這時棕熊突然想到上次被
zhè shí zōng xióng tú rán xiǎng dào shàng cì bèi

蜂羣追，跑了好一會兒，卻
fēng qún zhuī pǎo le hǎo yì huǐr què

沒發現有半隻蜜蜂，白白放
méi fā xiàn yǒu bàn zhī mì fēng bái bái fàng

棄已經到手的蜂蜜。
qì yǐ jīng dào shǒu de fēng mì

忍不住好奇的問：
rěn bú zhù hǎo qí de wèn
「奇奇，你甚麼聲音
qí qí nǐ shén me shēng yīn
都會模仿？」
dōu huì mó fǎng

還沉浸在成為英雄喜
hái chén jìn zài chéng wéi yīng xióng xǐ
悅的奇奇，得意的說：
yuè de qí qí　dé yì de shuō
「對啊！」
duì ā

浣熊也立刻想到
wǎn xióng yě lì kè xiǎng dào

上次自己被大家誤會放屁的事，
shàng cì zì jǐ bèi dà jiā wù huì fàng pì de shì

和棕熊互看一眼，
hé zōng xióng hù kàn yì yǎn

前後夾擊把奇奇圍住說：
qián hòu jiá jí bǎ qí qí wéi zhù shuō

「那捉弄我們的聲音，
nà zhuō nòng wǒ men de shēng yīn

是你的『傑作』
shì nǐ de jié zuò

囉！」
luō

73

惡作劇被發現的奇奇，連聲說
「對不起」，棕熊從後面抓住奇
奇，浣熊用他的長尾巴不
斷搔奇奇癢，其他被奇奇
捉弄過的動物，也全都湊
上前，打打鬧鬧玩成
一片。

忽然響起一聲「噗」，大家的目光先飄向浣熊，他連聲否認，再望向奇奇，奇奇也澄清不是他。

只見山羊爺爺紅着臉說：「是我啦！」動物們全都哄堂大笑。

從此，山老鼠不敢再來
cóng cǐ shān lǎo shǔ bù gǎn zài lái

破壞山林，鸚鵡老大和他
pò huài shān lín yīng wǔ lǎo dà hé tā

的手下也不再為非作歹，
de shǒu xià yě bú zài wéi fēi zuò dǎi

森林又恢復往日的寧靜。
sēn lín yòu huī fù wǎng rì de níng jìng

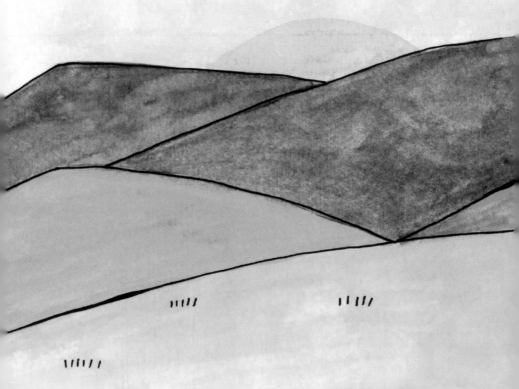

主題／改過自新
字數／約3000字
6－8歲適讀
附漢語拼音

快樂讀本・低年級

奇奇變聲秀

作　者：曾若怡
繪　者：卡卡Caca
發行人：楊玉清
副總編輯：黃正勇
主　編：李欣芳
美術設計：游惠月

出　版：文房(香港)出版公司
2019年3月初版一刷
定　價：HK$48
ISBN：978-988-8483-82-2

總代理：蘋果樹圖書公司
地　址：香港九龍油塘草園街4號
　　　　華順工業大廈5樓D室
電　話：(852)31050250
傳　真：(852)31050253
電　郵：appletree@wtt-mail.com

發　行：香港聯合書刊物流有限公司
地　址：香港新界大埔汀麗路36號
　　　　中華商務印刷大廈3樓
電　話：(852)21502100
傳　真：(852)24073062
電　郵：info@suplogistics.com.hk